6 MATÉRIEL

Le scrapbooking consacre votre vie en mettant sur papier et en relief vos souvenirs les plus chers et les tendres messages que vous souhaitez délivrer.

Ainsi tout le matériel que nous vous proposons est à décliner selon vos goûts, vos envies et vos souvenirs. Rien ne sert de vous y soumettre à la lettre, toutes nos créations sont à personnaliser. N'oubliez pas le plus important : la matière première du scrapbooking, c'est votre vie elle-même !

IL VOUS FAUT QUAND MÊME QUELQUES ÉLÉMENTS DE BASE :

Colle sans solvant, ciseaux pointus, cutter, règle, équerre, ruban adhésif, papiers unis et imprimés sans acide et le plus important... vos photos !

À PRÉSENT, ALLEZ REMPLIR VOS SACS ET VOS PANIERS :

Encre de couleur, encre transparente à séchage lent, encre à effet de craie marron, poudres à embosser, pistolet à embosser, tampons à encrer, perforatrice fantaisie forme timbre, ruban d'abaca, agrafes de couleur et agrafeuse, alphabet autocollant, peinture acrylique blanche, pince et ruban Dymo, perforatrice coin arrondi, stylo feutre blanc, raphia, papier émeri, brou de noix, ruban adhésif double face épais, craies, feutre noir pour tous supports, ciseaux cranteurs, fil de fer fin, plastique fou, matériel de couture et machine à coudre, colle pour tissu, colle époxy, attaches parisiennes fantaisie, œillets fantaisie, fibres en laine et coton, décalcomanies, feuille squelette, petites fleurs en papier...

ENFIN, FOUILLEZ DANS VOS POCHES, COFFRES ET TIROIRS :

Boutons, fleurs en tissu, petites épingles à nourrice, étiquettes de vêtements, capsules de bouteilles, bâtonnets de glace, perles, petites pochettes en velours pour les bijoux, rubans, cadres de diapo, bijoux, chaînettes, timbres...

A TABLE

UNE POUR MAMAN

Amour

1977

Lilas Parfum

UNE POUR MAMIE

SAUNAY

TEMPS	DIFFICULTÉ	COÛT
**	**	*

MATÉRIEL

1 feuille de papier imprimé carte
  géographique
1 feuille de papier imprimé bleu
  effet vieilli
Chutes de papier
Lettre gabarit 2
1 agrafeuse
Agrafes
Morceaux de rubans
Autocollants alphabet
Encre blanche
Encre à effet de craie marron
1 photo

RÉALISATION

1. Découpez deux grands rectangles de papiers imprimés mesurant chacun 30 x 15 cm et maintenez-les côte à côte à l'aide d'un ruban adhésif pour faire le fond de la page.

2. Adossez la photo à deux morceaux de papiers imprimés plus grands et agrafez les morceaux de rubans.

3. Faites les coins photo en découpant des triangles dans une chute de papier imprimé assorti.

4. Placez les autocollants pour faire le titre. Découpez une lettre gabarit 2 dans du papier imprimé pour faire l'initiale du prénom et blanchissez les bords à l'encre.

5. Adossez l'initiale à un cercle encré à l'encre à effet de craie marron. Écrivez la suite de votre prénom à l'aide des autocollants alphabet.

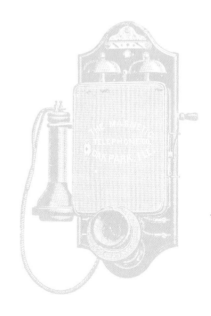

MATÉRIEL

Papier cartonné servant de support
à la page (21 x 20,5 cm)
1 morceau de tissu vert
(21 x 20,5 cm)
1 toile de jute (16 x 11 cm)
1 papier uni (5,5 x 20,5 cm)
1 papier imprimé (15 x 10,5 cm)
Chutes de papier imprimé et uni
Colle à tissu
1 agrafeuse et agrafes de couleur
5 rubans
3 boutons
Fil de fer fin
1 aiguille à coudre
1 grosse aiguille
Petites perles
Autocollants alphabet
Tampons chiffre
Décoration autocollante papillon
Plastique fou
5 feuilles en plastique
2 petites décos papillons
Tampons alphabet
Encre mauve et transparente
Poudre à embosser blanche
1 pistolet à embosser
Peinture acrylique ou gouache
Décoration en feutrine
1 photo

RÉALISATION

1. Cousez le morceau de papier uni au tissu uniquement sur les deux côtés avec du fil transparent.

2. Adossez la photo au rectangle de papier imprimé et agrafez les rubans avec des agrafes de couleur.

3. Cousez les trois boutons avec un fil de toile de jute. Placez le morceau de toile de jute et collez-le au tissu vert avec de la colle pour tissu. Vous pouvez alors coller votre photo en la faisant se chevaucher sur la toile de jute. La décoration en feutrine prend place dans le coin supérieur gauche.

4. Découpez la fleur dans une feuille de plastique fou et suivez les consignes du fabricant ; la forme se rétracte à la cuisson. Ensuite, vous pouvez la colorier avec des crayons de couleur, de l'encre ou de la peinture.

5. Pour le titre, commencez par les étiquettes en tamponnant les mots à l'encre blanche ou transparente puis embossez à l'aide du pistolet et de la poudre blanche.

Enfilez le fil de fer fin dans une grosse aiguille, passez-le dans les feuilles en plastique et les étiquettes et placez quelques perles dans l'enfilade. Collez les feuilles en bas de votre page et les lettres sur le côté.

6. Sur un petit morceaux de carton coloré, tamponnez le chiffre 2 à l'encre mauve et embossez à la poudre transparente. Entourez de fil de fer et placez une petite décoration papillon autocollante.

NOUS 2

DANS LE JARDIN DES DELICES

18 NOËL

MATÉRIEL

1 feuille de fond uni rouge
 (30 x 30 cm)
1 feuille de papier recto rouge
 verso or
1 feuille de papier rouge texturé
 « peau de lézard »
I feuille de papier imprimé rouge
 et or
1 mini enveloppe rouge
Chutes de papier imprimé
2 petites étiquettes
Étiquette gabarit 3
Décalcomanies
Tampons alphabet en mousse
Fibres
Encres à effet de craie marron clair
 et foncé
Encre transparente
Petites décorations de Noël
Poudre à embosser dorée
Pistolet à embosser
1 feuille squelette
Perles
Colle époxy (glossy accent)
Colle Néoprène
1 capsule rouge
1 bouton doré
1 ruban à pompons
1 ruban en velours rouge (30 cm)
Nécessaire à coudre
1 photo.

RÉALISATION

1. Préparez d'abord le cadre de la photo. Collez la photo sur un papier (16 x 20 cm) recto verso, laissez une marge de 2 cm autour de la photo. Déchirez le cadre en petites bandes et roulottez-les en vous aidant d'un crayon par exemple. Une fois que le cadre est terminé, vous pouvez le coudre sur votre feuille de fond.

2. Coincez les deux petites étiquettes dans les bandes et transférez les décalcomanies.

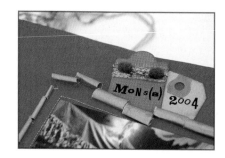

3. Découpez 30 cm de velours rouge de 2 cm de largeur et agrafez-le en bas de votre page.

4. Pour le titre, découpez un rectangle de 12,5 x 7,5 cm dans du papier texturé « peau de lézard » rouge. Tamponnez le titre une première fois à l'encre à effet de craie marron foncé, puis une seconde fois avec l'encre à effet de craie marron clair et embossez avec de la poudre dorée et le pistolet. Encrez les bords de votre rectangle avec l'encre à effet de craie marron foncée et collez-le sur un plus grand rectangle 22 x 9 cm de papier imprimé rouge et or.

5. À la gauche du titre, découpez une étiquette dans le gabarit 3 et collez une petite décoration en métal sur le thème de Noël. Passez une fibre aux couleurs assorties et collez votre étiquette à votre page.

6. À la droite du titre, découpez des images dans des magazines, récupérez un timbre, passez une fibre dorée dans un œillet rouge puis collez l'ensemble à une petite enveloppe rouge.

7. Collez la feuille squelette avec de la colle en bombe (en suivant les instructions du produit) sur un carré de papier de 9 cm de côté. Pour donner un effet vieilli au papier, chiffonnez-le, puis passez de l'encre à effet de craie marron foncé dessus et enfin lissez-le en l'aplatissant à la main, puis collez-le.

8. Aplatissez une capsule de bouteille rouge à l'aide d'un marteau ou d'un maillet, placez des petites perles de rocaille dorées dans le pourtour de la capsule, faites couler une couche de glossy accent dessus pour les emprisonner. Collez un bouton doré et un petit bout de ruban à pompons sur le haut de la capsule. Enfin, collez votre capsule ornementée sur le ruban à l'aide d'une colle de type Néoprène.

MON s(B) 2004

NOEL

CHRISTMAS·NOEL

ANADA 84

20 I LOVE YOU

MATÉRIEL

1 feuille de fond rose unie
* (30 x 30 cm)*
1 feuille de papier vert
2 feuilles de papiers imprimés
* (1 avec des écritures et 1 avec*
* des ronds)*
1 feuille de papier imprimé
* « I love you »*
Autocollants alphabet
Fibres
4 boutons
1 fleur en tissu
1 fleur gabarit 4
1 attache parisienne
2 étiquette gabarit 5
2 mini épingles à nourrice
Encre à effet de craie marron
1 photo

RÉALISATION

1. Commencez par le cadre. Découpez un rectangle dans le papier vert (14 x 18 cm). Coupez des bandes de papiers imprimés (1 cm de largeur) et collez-les sur le cadre. Placez les lettres autocollantes sur un rectangle rose et collez-le sur le cadre.

2. Enroulez les fibres autour du cadre et placez les boutons. Découpez une fleur gabarit 4, superposez-la à la fleur en tissu et accrochez-les au cadre grâce à une attache parisienne.

3. Découpez deux étiquettes dans le gabarit 5, écrivez la date et enfilez-les dans les épingles à nourrice. Accrochez les épingles aux fibres du cadre.

4. Placez la photo encadrée sur un grand rectangle de papier imprimé écriture (21,8 x 23 cm).

5. Découpez un rectangle de papier uni (15 x 10 cm) et encrez-le à l'encre à effet de craie marron. Découpez une bande de papier imprimé (2,5 x 10) et encrez-le lui aussi à la craie marron. Collez la bande au rectangle et disposez les autocollants alphabet pour former le mot « I love you ». Passez les fibres dans deux trous faits à la perforatrice et nouez-les. Collez ce rectangle sur le papier imprimé avec des cercles.

6. Collez le tout sur la feuille de fond unie. Encrez les bords avec l'encre à effet de craie marron.

22 TA BOUILLE

MATÉRIEL

*2 feuilles de papier bleu dans
 2 tons différents
1 feuille de papier imprimé
 (30 cm de large)
Autocollants alphabet
1 stylo-feutre blanc
1 ruban orange (32 cm)
Peinture acrylique blanche
Tampons à motifs
1 petit bouton vert
Encre transparente
Pistolet à embosser
Ruban adhésif
Gabarit de coupe cercles
Colle pour tissu
1 agrafeuse
Agrafes
1 photo*

RÉALISATION ·

1. Découpez la feuille de papier
bleu clair en un rectangle de
20 x 18 cm, la feuille bleu foncé
en un rectangle de 20 x 12,5 cm et
la feuille de papier imprimée en
un rectangle de 11 x 30 cm.
Scotchez les trois feuilles de
papier entre elles au dos pour
former le fond de la page.

2. Placez la photo et les lettres
autocollantes pour former le titre.
Placez le bouton dans votre titre.

3. Écrivez le texte à l'aide d'un
stylo-feutre blanc, tracez des lignes
au crayon à papier auparavant.

4. Pour les trois petits cercles,
appliquez la technique de l'embossage à chaud. Passez de la
peinture acrylique blanche sur vos
tampons et imprimez-les sur des
cercles de papier découpés grâce à
un gabarit de coupe ; laissez
sécher. Tamponnez vos cercles
avec une encre transparente pour
embossage et passez-les au pistolet
à embosser : cela leur donne un
aspect verni. Collez les trois
cercles avec une colle pour tissu
sur le ruban maintenu par des
agrafes.

bouille

Mon petit amour, ta petite bouille sur cette photo me fait complètement craquer! Tu as l'air si sage et pourtant, tu es déjà si terrible!

24 FRÈRE ET SŒUR

MATÉRIEL

1 feuille de papier de fond uni blanc
1 feuille de papier imprimé motifs
  cercle
1 feuille de papier bleu clair
Étiquette gabarit 6
Autocollants alphabet et chiffres
Tampons alphabet
6 rubans
Agrafeuse
Agrafes
Colle
1 photo carrée

RÉALISATION

1. Découpez dans le papier imprimé cercle un rectangle de 6 x 30 cm et collez-le en haut de la feuille de fond blanche. Découpez un carré de 15 cm de côté dans le papier uni bleu clair. Placez la photo sur la feuille de fond blanc à gauche du papier bleu.

2. Dans le papier imprimé motif cercle, découpez un demi-cercle pour indiquer la date. Encrez les bords, placez les autocollants chiffre et collez le demi-cercle sur le côté de votre photo.

3. Tamponnez la citation sur le ruban à l'aide des tampons alphabet.

4. Tendez les rubans en les croisant et agrafez-les à votre page. Découpez le cercle gabarit 6, placez les autocollants, encrez les bords et attachez-le en le nouant à un ruban.

1981

UN FRÈRE EST UN AMI DONNÉ PAR LA NATURE

Philippe & moi

MATÉRIEL

2 feuilles de fond de papier uni
* couleur sable (30 x 30 cm)*
1 feuille de papier imprimé carte
* géographique*
2 feuilles de papiers assortis
2 coins photo en métal
Tampons alphabet en mousse et
* petits tampons alphabet*
Encre à effet de craie
Encre bleue
1 perforatrice à coin arrondi
Porte-étiquette gabarit 7
2 attaches parisiennes
Fibres
Encre transparente
Pistolet à embosser
Poudre à embosser transparente
1 petite épingle à nourrice
1 photo en format verticale
1 photo en format horizontale
Colle
3 petites photos

RÉALISATION

1. Adossez les deux grandes photos à des rectangles de papiers assortis (10,5 x 16 cm) et collez-les sur la page de fond unie sable.

2. Découpez une bande horizontale de la même longueur que le fond et collez-la entre les deux photos.

3. Déchirez la feuille de papier imprimé carte géographique et positionnez-la sur la feuille de fond au 1/3. Collez les deux coins photo.

4. Tamponnez le titre avec des tampons mousse et de l'encre à effet de craie. Tamponnez une deuxième fois avec de l'encre bleue et de manière légèrement décalée pour donner un effet d'ombre.

5. Pour le petit livret, pliez en trois parties égales un morceau de papier uni sable (13,5 x 6 cm), arrondissez les angles avec la perforatrice. Collez les chutes de papier à l'intérieur du livret puis vos trois petites photos par-dessus. Découpez le porte-étiquette gabarit 7 et maintenez-le sur la couverture deux attaches parisiennes. Tamponnez le titre dans le porte-étiquette et fermez le livret en le nouant avec des fibres.

6. Découpez un cercle dans le papier imprimé carte géographique. Encrez ce bout de papier rond avec l'encre transparente, saupoudrez de poudre à embosser transparente et chauffez au pistolet : il se forme comme une couche de vernis. Attachez le cercle aux fibres à l'aide d'une petite épingle à nourrice.

MATÉRIEL

1 feuille de papier de fond uni rose
  (30 x 30 cm)
1 feuille de papier uni rose
1 rectangle de papier imprimé
  (30 x 7 cm)
1 rectangle de papier vert clair
  (14 x 9,5 cm)
Étiquettes gabarit 8
Autocollants alphabet
Encre à effet de craie marron
1 bouton
1 ruban
Fleurs en tissu
Fibres
1 agrafeuse
Agrafes
1 pince Dymo
1 ruban Dymo violet
Attaches parisiennes
1 tampon mousse motif fantaisie
1 feutre noir
1 photo verticale

RÉALISATION

1. Adossez la photo au rectangle vert clair. Coupez deux étiquettes gabarit 8 dans le papier rose. Encrez les bords à l'encre à effet de craie marron. Placez les autocollants puis collez les deux étiquettes autour de la photo. Cousez le bouton à un bout de ruban, à de la fibre et à une fleur en tissu.

2. Collez la bande de papier imprimé à l'horizontal sur la feuille de fond. Agrafez un ruban au-dessus de la bande de papier imprimé.

3. Écrivez le proverbe à l'aide de la pince Dymo et collez les étiquettes obtenues sur des morceaux de papier uni un peu plus large. Percez un trou à chaque extrémité pour passer les fibres puis agrafez-les à la feuille de fond.

4. Tamponnez un motif en haut de la page et repassez les contours au stylo noir. Accrochez quelques fleurs en tissu maintenues à l'aide des attaches parisiennes.

MAMAN

et moi

SI TU SOURIS A LA VIE

ELLE TE SOURIT EN RETOUR

TEMPS
*

DIFFICULTÉ
*

COÛT
*

MATÉRIEL

*1 feuille de fond de papier imprimé
(30 x 30 cm)*
*1 rectangle de papier imprimé
(29,5 x 7,8 cm)*
*1 rectangle de papier imprimé
(29 x 15 cm)*
*1 rectangle papier mûrier bleu
(13 x 17 cm)*
Décalcomanies alphabet blancs
Décalcomanies chiffres
Fibres
1 attache parisienne orange
Encre à effet de craie marron
Œillets carrés et citrouille
3 boutons
1 petite pochette en velours bleu
Étiquette gabarit 9
Étiquette gabarit 10
1 ruban bleu
1 ruban doré
1 photo verticale

RÉALISATION

1. Encrez les bords de la photo avec de l'encre à effet de craie marron et adossez-la au rectangle de papier mûrier.

2. Sur la feuille de fond, disposez les deux rectangles de papiers imprimés de façon perpendiculaire et maintenez-les avec des œillets. Passez les fibres dans les œillets. Transférez le titre avec les décalcomanies alphabet.

3. Cousez les boutons avec une fibre.

4. Placez dans le coin droit la petite pochette que vous avez recouverte de rubans et de décorations. Utilisez des décalcomanies noires pour la date sur l'étiquette gabarit 9 et accrochez-y l'étiquette gabarit 10 à l'aide d'une attache parisienne.

Sorcière

2000

MATÉRIEL

1 carnet à spirales
1 feuille de papier vert clair uni
1 feuille de papier violet uni
1 feuille de papier imprimé violet
* en deux tons*
1 feuille de papier uni crème
1 feuille de papier imprimé
2 œillets
3 attaches parisiennes
Papier transparent
1 étiquette
4 morceaux de rubans différents
1 perforatrice fleur
1 perforatrice coin arrondi
1 perforatrice timbre
1 perforatrice de bureau
1 fleur en tissu
Fibres
Brou de noix
Encre couleur et transparente
2 décorations en métal
1 agrafeuse et des agrafes
Trombone
I pince Dymo
1 tampon fantaisie
1 tampon rectangle
Poudre à embosser blanche
1 pistolet à embosser
1 feutre noir tous supports
Ciseaux cranteurs
Craie marron
4 petits anneaux à reliure
3 photos

RÉALISATION

1. Reportez le gabarit du carnet sur le papier imprimé et découpez-le. Collez le papier sur le carnet en insistant bien sur les bords.

2. Sur la feuille verte de fond, collez les papiers violets unis et imprimés. Adossez les deux petites photos carrées à des carrés de papiers imprimés. Attachez la fleur en tissu avec une attache parisienne. Adossez la photo rectangulaire à deux rectangles de papiers imprimés, puis à un papier crème uni auquel les œillets sont sertis. Faites passer un petit ruban rose dans l'un des œillets.

3. Pour l'étiquette titre, imprimez votre texte avec la police de votre choix et décalquez-la avec le feutre noir sur le transparent. Si vous n'avez pas de matériel informatique, vous pouvez bien sûr écrire à la main. Le bas de l'étiquette est découpé aux ciseaux cranteurs. Agrafez le ruban et le transparent à cette étiquette.

4. Attachez une fleur en papier rose obtenue grâce à la perforatrice fleur avec une attache parisienne. Collez les décorations en métal avec une colle forte.

5. Pour le dossier : passez du brou de noix sur une feuille de papier clair uni assez épais et laissez sécher. Découpez le dossier dans le papier passé au brou de noix et arrondissez les angles à la perforatrice coin arrondi. Découpez des timbres à la perforatrice dans quatre papiers différents et tamponnez-les à l'encre couleur. Deux d'entre eux ont été embossés avec de la poudre à embosser blanche et un pistolet. Passez alors la lettre décorative dans deux fibres scotchées au dos du dossier. Imprimez ou écrivez le texte à mettre à l'intérieur du dossier. L'étiquette de la date est faite à la pince Dymo. Fermez le dossier avec un trombone auquel vous nouerez un ruban.

6. Tamponnez des formes rectangulaires sur le fond vert avec l'encre transparente et passez de la craie sur ces formes. Un peu de brou de noix passé à l'éponge donnera un effet vintage à votre page.

7. Collez votre page sur une page du carnet à spirales, reformer les perforations à l'aide d'une perforatrice de bureau et reliez les pages avec de petits anneaux.

MATÉRIEL

*2 feuilles de papier imprimé motifs
« plage » (30 x 30 cm)
1 feuille de papier de verre
à très léger grain
1 ruban Dymo
1 pince Dymo
1 cache de diapo
Chutes de papier uni
Chutes de papier imprimé
1 œillet bleu
2 attaches parisiennes
2 fleurs en tissu
Poudre à embosser cuivrée
1 pistolet à embosser
1 agrafeuse et des agrafes
1 perforeuse timbre
1 tampon alphabet
Lettres autocollantes
Brou de noix
2 photos horizontales
1 photo carrée
1 petite photo*

RÉALISATION

PAGE «NOS FRÈRES»

1. Reportez le gabarit du carnet sur le papier imprimé « plage » et découpez-le. Collez le papier sur le carnet en insistant bien sur les bords.

2. Placez la photo horizontale et collez-la sur le papier. Adossez la photo carrée à un carré de papier uni un peu plus grand. Les coins photo sont faits en coupant des triangles dans des chutes de papiers unis.

3. Découpez trois timbres grâce à la perforatrice timbre, puis placez des lettres autocollantes pour « nos » et passez les bords au brou de noix. Le mot « frères » a été imprimé à l'ordinateur sur une chute de papier imprimé, puis adossé à un rectangle de même taille beige uni passé au brou de noix aussi. L'œillet assemble les deux rectangles.

4. Fabriquez les sous-titres à la pince Dymo. Le lieu est écrit à la main.

5. Ajoutez une fleur dans le coin haut droit à l'aide d'une attache parisienne.

PAGE «NOS MÈRES»

1. Découpez le papier imprimé « plage » à la taille de votre carnet et passez les bords au brou de noix.

2. La petite photo a été placée dans un cache de diapo recouvert de papier de verre souligné au brou de noix. La grande photo a été adossée à un rectangle de papier uni un peu plus grand.

3. Pour le titre, fabriquez des timbres grâce à la perforatrice et placez les lettres autocollantes, pour le mot « nos » passez les bords au brou de noix. Tamponnez les lettres du mot « mères » sur du papier uni beige, recouvrez de poudre à embosser cuivrée et chauffez au pistolet à embosser. Découpez les lettres obtenues à la perforatrice timbre. Passez les bords des timbres au brou de noix. Le M a été adossé à un rectangle un peu plus grand pour le faire ressortir du fond. Les timbres lettres sont collés avec du ruban adhésif double face un peu épais pour leur donner du volume.

4. Faites les sous-titres à la pince Dymo. Ajoutez la fleur en tissu sur la page à l'aide de l'attache parisienne. Agrafez trois petits bouts de rubans sur le bord de la page.

COUVERTURE

MATÉRIEL

1 carnet à spirales
Chutes de papiers imprimés et unis
  de différentes textures
Papier imprimé « chiffres »
4 attaches parisiennes
Alphabets et chiffres décalcomanies
1 étiquette gabarit 3
Encre transparente
1 pistolet à embosser
Poudres à embosser : transparente,
  noire et cuivrée
Fibres
Raphia
1 petite fleur en tissu
1 pièce de puzzle
1 ruban
1 perforatrice coeur
Agrafeuse et des agrafes
Colle à tissu

RÉALISATION

1. Sur la couverture du carnet à spirale, réalisez un collage avec toutes les chutes de papiers en choisissant deux teintes dominantes.

2. Découpez le chiffre 2 dans le papier imprimé « chiffres », passez de l'encre transparente sur les bords puis de la poudre à embosser noire et chauffez à l'aide du pistolet à embosser. Adossez-le à un rectangle plus grand et assemblez-les avec les attaches parisiennes.

3. Transférez les lettres « nous » dans plusieurs planches de décal-comanies différentes. Transférez les lettres « depuis » sur un papier uni puis découpez un rectangle pour chaque lettre et collez-les sur l'étiquette gabarit 3 à laquelle vous attacherez un bout de raphia. 1976 est transféré sur un rectangle collé à un autre. Passez le rectangle à l'encre transparente et embossez-le à la poudre transparente pour lui donner un aspect vernis.

4. Dessinez un cœur sur le dos d'un papier velouté, découpez la forme et collez-la avec de la colle pour tissu.

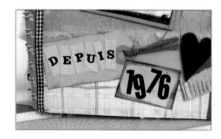

5. Récupérez une pièce de puzzle, couvrez-la d'encre transparente, embossez-la de poudre cuivré et chauffez au pistolet à embosser. Entortillez une fibre de couleur assortie, placez une attache parisienne au cœur de la petite fleur et collez-la sur la pièce de puzzle.

6. Découpez deux cours à la perforatrice coeur. Collez votre assemblage à la couverture du carnet à spirales et agrafez un ruban sur la longueur.

ma tototte !

MATÉRIEL

1 livre d'enfant
Morceaux de papiers imprimés
2 feuilles de papier épais
 et de couleurs différentes
Peinture acrylique
Tampons alphabet et chiffres
Encre noire
Encre bleue
Pistolet à embosser
Poudre à embosser transparente
Serviette en papier motifs plage
Vernis colle
Colle à tissu
Colle en bombe
Feuille squelette
1 stylo-feutre noir
Autocollants alphabet
Étiquette de vêtement en tissu
Œillet « étoile »
Ruban
Fibre
1 tampon fantaisie
Ciseaux cranteurs
Agrafes
4 photos verticales

RÉALISATION

1. Achetez ou récupérez un livre d'enfant et peignez une double page à la peinture acrylique.

2. Collez les morceaux de papiers imprimés qui vont constituer le fond : certains sont découpés avec les ciseaux cranteurs.

3. Pour le titre, découpez une étiquette dans le papier épais, tamponnez les lettres à l'encre noire et embossez-les à la poudre transparente et au pistolet. Sertissez l'œillet en forme d'étoile, passez une fibre et adossez l'étiquette à une étiquette plus grande et d'une autre couleur. L'étiquette en tissu a été récupérée sur un vêtement, mais vous pouvez en fabriquer une en découpant un rectangle de tissu. Tamponnez le mot « île » à l'aide des tampons alphabet et de l'encre bleue. Disposez les autocollants alphabet sur l'étiquette et collez-la avec de la colle pour tissu.

4. Écrivez le texte sur un rectangle de papier imprimé de couleur claire avec des tampons alphabet et un stylo noir. Découpez un côté aux ciseaux cranteurs, encrez les bords et collez le texte.

5. Adossez toutes les photos une ou deux fois avec des papiers imprimés assortis à vos papiers de fond. Faites des coins photo en découpant des triangles dans des papiers assortis.

6. Découpez un signet dans une chute de papier assorti et tamponnez la date avec les tampons chiffres et l'encre noire et agrafez un petit bout de ruban à la photo.

7. Tamponnez un motif dans le coin supérieur droit. Découpez les motifs qui vous intéressent dans la serviette en papier, conservez la couche imprimée et collez sur du papier avec le vernis colle ; collez les motifs et le squelette de feuille avec de la colle en bombe.

MATÉRIEL

*Papier imprimé à la taille de votre
  livre d'enfant*
*Morceaux de papiers imprimés
  assortis*
Tissu uni
Colle à tissu
Étiquette de vêtement en tissu beige
Fibres
Tampons alphabet et chiffres
2 cartes à jouer
Autocollant feuille
Agrafeuse
Agrafes
Fil et aiguille
1 tampon fantaisie
Encre transparente
Encre noire
Poudre à embosser transparente
Pistolet à embosser
2 photo horizontale

RÉALISATION

1. Découpez votre papier imprimé
à la taille de votre double page de
livre d'enfant et collez plusieurs
morceaux de papiers imprimés
assortis.

2. Tamponnez les prénoms avec
les tampons alphabet. Collez un
morceau de carte à jouer et l'autocollant feuille. Cousez des petits
triangles de tissu, agrafez-les aux
coins des photos et collez les
photos.

3. Pour le titre : l'étiquette en tissu
a été récupérée sur un vêtement,
mais vous pouvez en fabriquer une
en découpant un rectangle de
tissu. Dessinez et découpez une
fleur dans un morceau de tissu.
Tamponnez le titre avec de l'encre
noire et les tampons alphabet et
chiffres. Collez la fleur sur l'étiquette en tissu, et l'étiquette en
tissu sur le livre.

4. Tamponnez un motif fantaisie
dans le coin inférieur droit avec de
l'encre transparente, saupoudrez
de poudre à embosser transparente et chauffez au pistolet à
embosser.

5. Collez votre double page au
support.

MATÉRIEL

1 feuille de papier fort uni rose
1 feuille de papier fort uni vert
Chutes de papier imprimé
Enveloppe gabarit 12
Étiquette gabarit 13
Tampons fantaisie en mousse
Fibres
Agrafes
Encre transparente
1 stylo noir
3 attaches parisiennes
1 cutter
5 photos

RÉALISATION

1. Découpez cinq enveloppes gabarit 12 dans le papier vert. Découpez la forme de la couverture dans le papier rose.

2. Avec une attache parisienne, attachez une première enveloppe à l'intérieur de la couverture.

3. Collez la languette de la deuxième enveloppe sous la première.

4. Collez la languette de la troisième enveloppe sur la deuxième.

5. Collez la languette de la quatrième enveloppe sous la troisième.

6. Collez la languette de la dernière enveloppe sur la quatrième. Et vous obtenez un accordéon.

7. Collez un rectangle de papier imprimé sur chaque enveloppe et les photos par-dessus.

8. Découpez cinq étiquettes gabarit 13 dans le papier rose et agrafez les fibres aux étiquettes.

9. Tamponnez des formes fantaisie avec de l'encre transparente sur chaque étiquette. Écrivez les textes à la main.

10. Repliez la couverture sur les enveloppes. Percez deux trous au cutter pour placer les attaches parisiennes et passez une fibre pour fermer.

Les enfants
sont comme
les marins;

Les petites filles
sont comme les
fleurs, elles
embellissent
la vie.

Edith Évaqué

BONNE FÊTE PAPA !

MATÉRIEL

3 rectangles de carton
1 feuille de papier imprimé
  à rayures
1 feuille de papier noir un peu épais
1 étiquette gabarit 14
1 étiquette gabarit 7
Perforatrice
Œillet
Rubans
Autocollants timbre
1 boucle d'oreille fantaisie
1 feutre noir pour tous supports
Agrafes de couleur
Tampons alphabet
Ruban adhésif double face
Brou de noix
Anneaux à reliure ou rubans
1 tampon fantaisie
1 photo verticale

RÉALISATION

1. Perforez les trois rectangles de carton et reliez-les entre eux à l'aide d'anneaux à reliure ou de rubans.

2. Dans la feuille de papier noir, découpez un rectangle en faisant des arrondis. Agrafez les bouts de rubans au cadre, placez la photo et maintenez-la avec du ruban adhésif.

3. Découpez un rectangle de papier imprimé à rayures, passez-le au brou de noix, laissez sécher et collez-le sur le carton. Collez aussi la photo encadrée et les timbres autocollants.

4. Découpez une étiquette gabarit 14 dans un papier assorti et écrivez le texte avec des tampons alphabet et un stylo noir. Sertissez un œillet en haut de l'étiquette et passez des rubans à l'intérieur. Collez l'étiquette avec du ruban adhésif double face pour la mettre en relief. Placez une petite décoration. Collez la petite étiquette pour le lieu et le coin photo marron. La grande déco en métal vieilli doré est une boucle d'oreille sur laquelle on a écrit des mots avec un feutre noir pour tous supports.

58 CADRE SOUVENIR

MATÉRIEL

1 cadre
euilles de papier imprimé
1 fleur en tissu
1 attache parisienne
4 rubans
Transparent pour imprimante
Perforatrice timbre
Autocollants alphabet
1 autocollant coeur
Poudre à embosser noire
1 pistolet à embosser
1 stylo à embosser
2 photos

RÉALISATION

1. Coupez les éléments à la taille de votre cadre. Disposez papiers et photos, découpez un timbre à l'aide de la perforatrice timbre, écrivez le symbole & avec un stylo à embosser, recouvrez de poudre à embosser noire et chauffez au pistolet. Placez les autocollants alphabet sur les rubans et collez le timbre &.

2. Pour le texte, tapez-le à l'aide d'un traitement de texte et imprimez-le en mode miroir sur un transparent pour imprimante. Dès que le transparent sort de l'imprimante, appliquez le texte sur le papier comme un transfert.

3. Agrafez du ruban aux coins des photos et accrochez la fleur avec une attache parisienne. Encadrez et offrez !

Attention, si vous disposez d'une imprimante laser, n'utilisez surtout pas de transparent pour imprimante à jet d'encre au risque de l'endommager irréversiblement.

MAMIE & MOI

On s'est tout de suite aimées

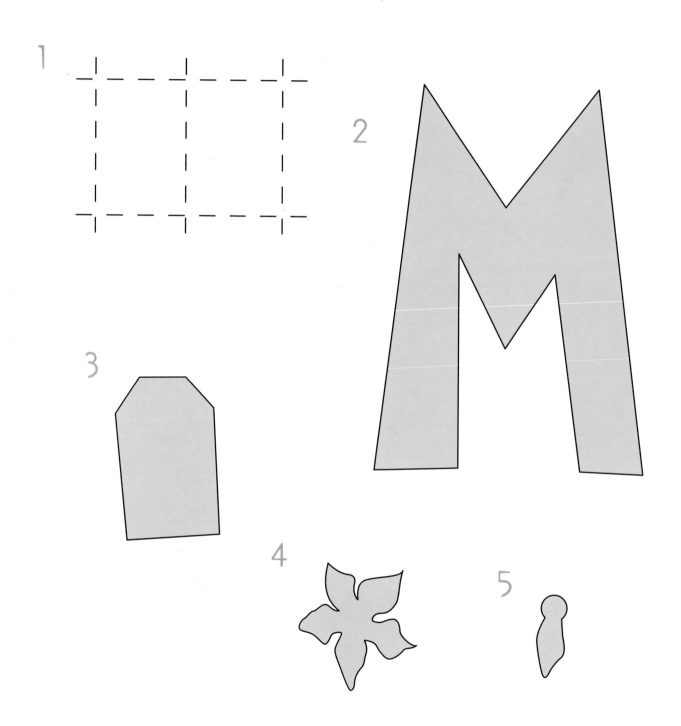

1

2

3

4

5

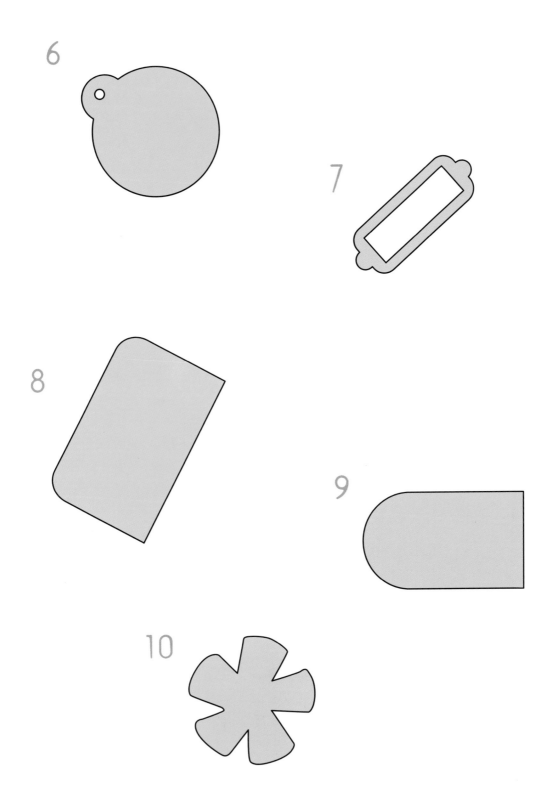

11

12

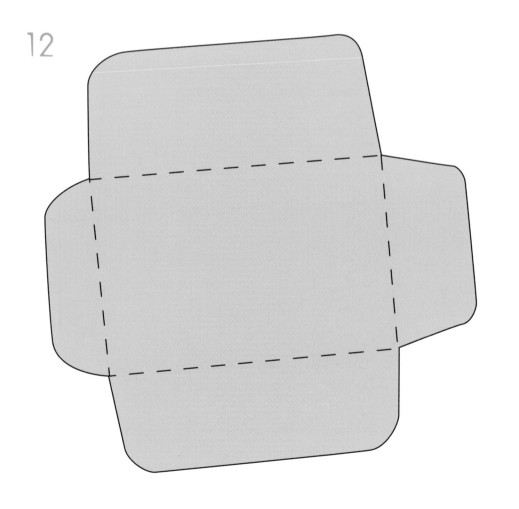

13

14

15

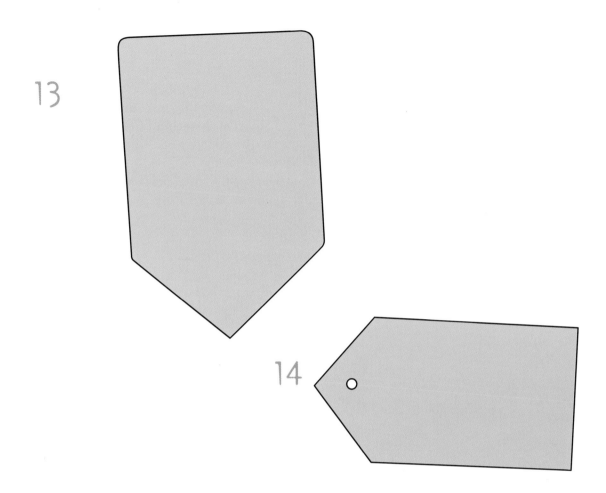
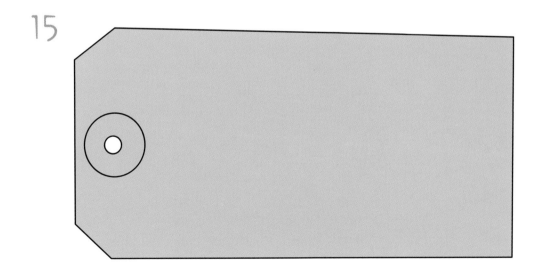

Remerciements : Matthieu, mon compagnon de vie depuis 10 ans — Roselyne, Lionel, Christian et Pierre Pellerin — Catherine Lopériol — Michel et Philippe Crosnier — Adélaïde Donon — Stéphane Tersiguel et Lauren Heitzmann — Cathy Evrad et toutes les amies que j'ai rencontrées grâce au scrapbooking.

Conception graphique : Marina Delranc
Mises en pages : Jean-Philippe Gauthier
Réalisation Photogravure : Frédéric Bar
Coordination éditoriale : Olivia Le Gourrierec